El príncipe y el gigante

Diseño gráfico: Estudi Colomer

Primera edición, 2005

Depósito Legal: B. 1.221-2005
ISBN: 84-316-7837-2
Núm. de Orden V.V.: Q-177

IMPRESO EN ESPAÑA
PRINTED IN SPAIN

Editorial VICENS VIVES. Avda. de Sarriá, 130. E-08017 Barcelona.
Impreso por Gráficas INSTAR, S.A.

Brendan Behan

El príncipe y el gigante

Ilustraciones
P. J. Lynch

Traducción
Susana Camps

Actividades
Ramón Masnou

Vicens Vives

El príncipe y el gigante

Hace muchísimo tiempo, en aquella época feliz en que las calles se empedraban con panecillos y las casas se blanqueaban con nata y los cerdos corrían detrás de la gente diciendo a gritos «¡cómeme, cómeme!», reinó en un país muy lejano un rey que tenía tres hijos: Manuel, Samuel y Fidel.

Un día comenzó a sonar por todo el país una música celestial tan hermosa que la gente sentía escalofríos al oírla. «¿De dónde vendrá esa música tan preciosa?», se preguntaba el rey, y, como se moría de ganas de saberlo, llamó a sus tres hijos para decirles:

—A aquel de vosotros que descubra de dónde viene esa música le daré la mitad de mi reino.

Los tres jóvenes salieron enseguida del palacio y se pusieron a caminar hacia el lugar de donde venía la música. Tras mucho andar, encontraron un agujero enorme en la tierra: era de allí de donde salía la música. Cuando vieron que había que entrar en aquel pozo profundo, Manuel y Samuel le dijeron a su hermano menor:

—Entra tú, Fidel. Eres el más ágil de los tres, y te podremos descolgar sin dificultades con una soga. Y, en cuanto averigües de dónde viene la música, nos avisas para que te subamos.

Eso es lo que dijeron, aunque en verdad deseaban que Fidel no volviese, pues le tenían muchísima envidia por lo apuesto y avispado que era.

—Ya lo creo que bajaré —dijo Fidel.

Así que se descolgó por la soga que sujetaban sus hermanos hasta llegar al fondo de la cueva, donde encontró un túnel oscuro como boca de lobo. Fidel caminó y caminó por el túnel durante varias horas hasta que afuera se hizo de noche. Y entonces, viendo que su hermano no volvía, Manuel y Samuel soltaron la cuerda y regresaron al palacio.

Fidel caminó tanto y acabó tan cansado que al final las piernas no le respondían y se tambaleaba como un borracho. Pero, cuando ya estaba a punto de desmayarse, divisó una luz al fondo del túnel e hizo un último esfuerzo para llegar hasta ella. La luz salía de una pequeña cabaña que había en el mismo túnel, y a la puerta estaba sentado un hombre muy viejo.

—¿Podría decirme de dónde viene la música celestial? —le preguntó Fidel.

—Yo no lo sé —respondió el anciano—, pero te diré cómo puedes averiguarlo. Descansa aquí esta noche y mañana por la mañana vete a la casa de mi padre, que está a un día de camino. Seguro que él te dará la respuesta que buscas.

El anciano no sólo albergó a Fidel en su cabaña, sino que le dio de cenar los mejores manjares de su despensa. Comieron tocino, huevos, embutidos, salchichas y pan casero, y bebieron largos tragos de té negro. Después de cenar, los dos hombres se fueron a la cama a reponerse del atracón, y a la mañana siguiente Fidel siguió su camino a través del túnel. Durante todo un día, avanzó por la oscuridad, pero al fin encontró un nuevo punto de luz: era la cabaña del anciano que estaba buscando. Y, al verlo, le dijo:

—¿Es usted el padre del anciano que vive un poco más atrás?

—No es un anciano: sólo tiene cien años.

—Claro, claro... —dijo Fidel—. El caso es que querría saber

de dónde viene esta música celestial que suena sin cesar por todas partes...

—Yo no lo sé —dijo aquel hombre muy, muy viejo—, pero mi padre, que vive un poco más arriba, tal vez pueda ayudarte. De todos modos, entra y te daré de cenar, y mañana podrás seguir tu camino.

Fidel entró en la casa y el hombre muy, muy viejo le ofreció un espléndido banquete. Cenaron gachas y unas grandes raciones del mejor jamón del país, con un delicioso acompañamiento de col y unas patatas que se deshacían en la boca, y bebieron tres jarras de leche recién ordeñada.

Aquella noche Fidel durmió a pierna suelta, y a la mañana siguiente partió en busca del padre del hombre muy, muy viejo. Cuando por fin lo encontró, Fidel le preguntó si era el padre del anciano que vivía un poco más abajo.

—Sí, lo soy —respondió aquel hombre, que era muy, muy, muy viejo—, pero mi hijo no es un anciano: sólo tiene ciento cincuenta años. Lo que pasa es que, como no come más que chucherías, parece bastante mayor.

—Claro, claro... —dijo Fidel—. Pero, ¿podría decirme de dónde viene esta música celestial?

—Mañana te lo diré, que hoy ya es muy tarde. Lo mejor es que entres en mi casa, tomes un bocado y descanses. Seguro que estás muerto de hambre después de haber caminado durante todo el día.

Fidel entró en la casa y el hombre muy, muy, muy viejo preparó algo de cenar. Empezaron con dos platos grandes de sopa cada uno y después tomaron cuatro pies de cerdo por cabeza, con pan de levadura recién horneado y

mantequilla casera, y lo regaron todo con tres jarras de la cerveza negra más sabrosa que Fidel había bebido en su vida.

A la mañana siguiente, Fidel volvió a preguntar de dónde venía la música celestial.

—La verdad es que no lo sé —respondió el hombre muy, muy, muy viejo—. Al final de este túnel no vive nadie más, excepto un gigante muy fiero, y si yo fuera tú no me acercaría a sus dominios.

—No tengo miedo —dijo Fidel.

—Entonces sigue adelante y, a una hora de camino, encontrarás un caballo de raza. Si logras montarlo, te llevará al lugar de donde sale la música celestial. Pero ten mucho cuidado con el gigante...

Fidel partió enseguida y llegó al lugar donde se encontraba el caballo, quien le preguntó:

—¿Quieres que te lleve a la casa del gigante?

—Sí —dijo Fidel—, quiero llegar al lugar de donde sale la música.

—Entonces súbete a mi grupa, que yo te llevaré.

Fidel subió a lomos del caballo y cabalgó durante todo aquel día. Al fondo, se veía un puntito de luz que iba creciendo sin parar. Cuando por fin llegaron al final del túnel, aquella luz se convirtió en un hermoso jardín lleno de flores, fuentes y estatuas. Entonces el caballo se detuvo y dijo:

—Ya no puedo acercarme más al lugar de donde viene la música.

Fidel se apeó del caballo y avanzó a solas a través del jardín. Cuanto más caminaba, más fuerte sonaba la música, hasta que al fin llegó al pie de un palacio enorme que tenía las puertas de oro y las ventanas de plata. Sí, no había duda: la música salía de allí dentro. Poco a poco y sin hacer ruido, Fidel se coló en el palacio y, tras recorrer un lujoso pasillo, entró en un gran salón abarrotado de altas columnas. En el centro, permanecía sentada una muchacha: era la mujer más hermosa que Fidel había visto en toda su vida. Estaba cantando al son de un arpa, y hasta las paredes del salón parecían vibrar con la belleza de su canto. ¡Así que era aquella muchacha quien emocionaba a todo el mundo con su música celestial!

Cuando la joven vio a Fidel, dejó de cantar.

—No, no te detengas —le dijo Fidel—. Es la música más hermosa que he escuchado en toda mi vida.

—En realidad no canto por gusto —le contestó ella—, sino por culpa de un hechizo. Soy una princesa de un reino lejano y hace un año y un día caí prisionera del gigante que vive en este palacio. Ha sido él quien me ha hechizado para que cante sin

parar día y noche, y sólo podré salir de aquí cuando se rompa el maleficio. Dime: ¿has venido a rescatarme?

Fidel dijo que sí con la cabeza.

—Entonces tendrás que tener mucho cuidado con el gigante, porque es terriblemente cruel.

—No tengo miedo. Pero, dime: ¿qué he de hacer para rescatarte?

—El gigante querrá jugar contigo al escondite...

De pronto, la princesa se puso a gritar.

Y es que una mano enorme acababa de agarrar a Fidel por la pechera y lo levantaba por los aires.

—¡Vaya, vaya…! ¿Quién es este jovenzuelo que se ha atrevido a entrar en mi palacio?

El que hablaba era el gigante.

—Sólo quería saber de dónde salía la música celestial… —dijo Fidel.

—Bueno, pues ya lo sabes: ¿estás contento? —bramó el gigante—. Seguro que has venido a rescatar a la princesa. Pues bien: jugaremos a un juego muy divertido. Durante tres días seguidos voy a esconderme y, si no eres lo bastante listo para encontrarme, te asaré y me daré una buena comilona a tu costa. Pero, si me encuentras, te daré una segunda oportunidad: dejaré que seas tú el que se esconda durante tres días y, en caso de que te encuentre, te arrancaré la piel a tiras, te asaré y te devoraré. ¿Has entendido las reglas?

—Sí —susurró el pobre Fidel—. Pero, dígame: ¿podría ir a darle de comer a mi caballo?

—Ve si quieres, pero mañana al amanecer empezará el juego... ¡Ya verás lo que nos divertiremos!

En cuanto el gigante se marchó, Fidel salió del palacio y volvió junto a su caballo.

—¡Esto es horrible! —le dijo—. ¿Qué voy a hacer ahora? ¡El gigante me matará!

—Cálmate —respondió el caballo—. Ahora lo que importa es comer. Mi estómago está rugiendo como un león. Escucha, Fidel: mete la mano izquierda en mi oreja derecha y saca lo que encuentres.

Fidel metió la mano en la oreja del caballo y sacó un mantel, que extendió sobre la hierba.

—Ahora —prosiguió el caballo— mete la mano derecha en mi oreja izquierda.

Fidel obedeció, y sacó de la oreja del caballo los más sabrosos manjares.

—¿Te parece buena cena? —dijo el caballo, y Fidel asintió con la cabeza—. Pues ahora mete la mano derecha en mi oreja izquierda otra vez... ¿O es que te piensas que yo no voy a cenar?

Fidel obedeció y sacó de la oreja un cubo de agua y una bala de heno, de los que el caballo bebió y comió hasta quedar saciado. Tras la cena, Fidel se tumbó bajo las patas del caballo y durmió a pierna suelta hasta el amanecer, cuando le despertaron los gritos del gigante.

—¡Ven aquí, jovenzuelo —decía—, y encuéntrame si puedes!

Entonces el caballo le susurró a Fidel:

—Búscalo en la copa de aquel árbol tan alto.

Fidel entró en el jardín del palacio, trepó al árbol y allí encontró escondido al gigante, que bramó de rabia al sentirse descubierto.

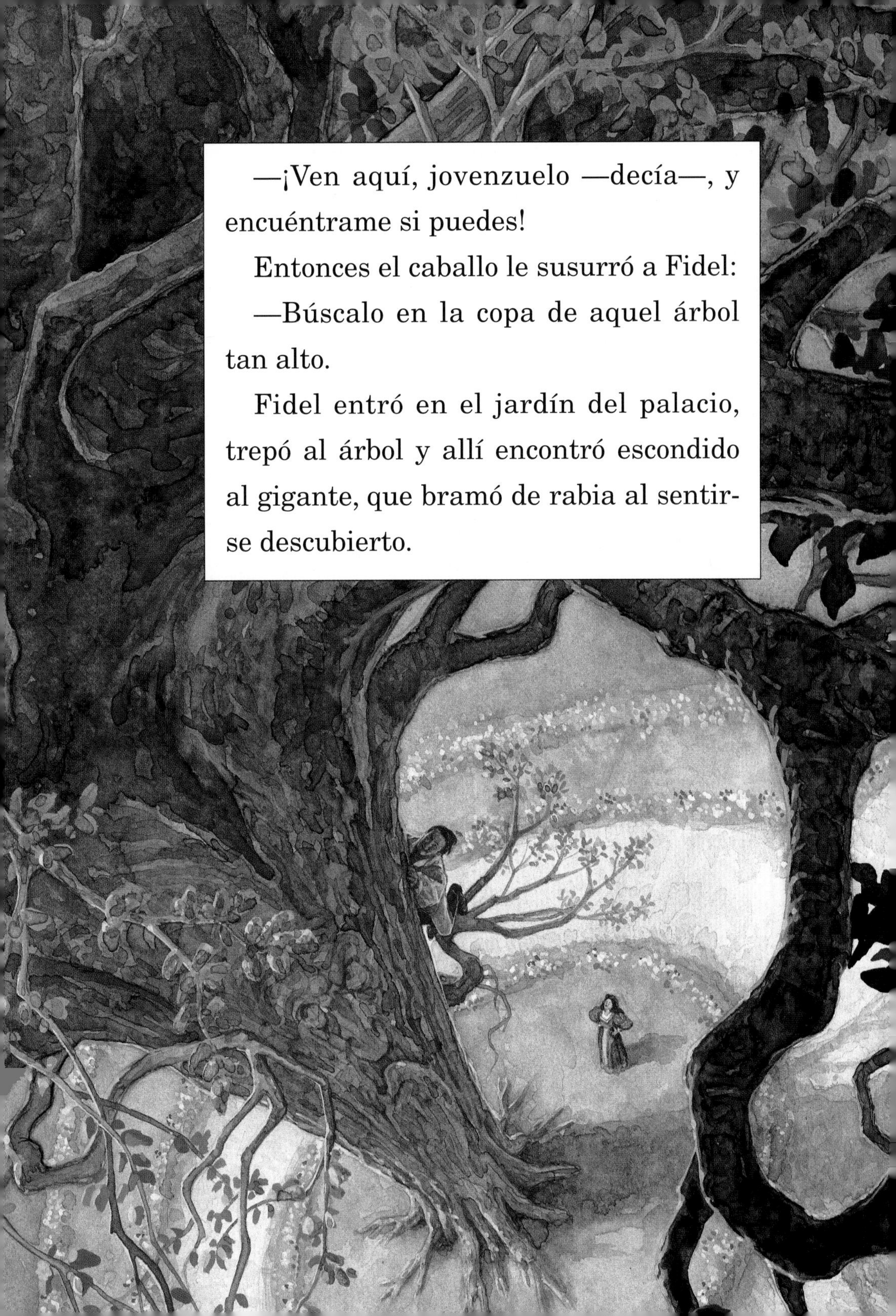

—¡Aaah! —dijo al bajar del árbol—. Hoy me has encontrado, pero mañana no te será tan fácil…

Después de aquello, Fidel empezó a confiar del todo en el caballo. Al anochecer volvió a cenar los manjares más exquisitos y luego mantuvo una larga conversación con el caballo hasta que los dos se quedaron dormidos. Y, a la mañana siguiente, cuando se despertaron, el caballo dijo:

—En el jardín que hay detrás del palacio verás una pelota. Dale una patada tan fuerte como puedas, y volverás a vencer al gigante.

Fidel siguió las instrucciones del caballo y, cuando encontró la pelota, le dio una patada tan fuerte que la reventó. Se oyó un gran grito, y del interior de la pelota salió de golpe el gigante. Su cuerpo descomunal giró por los aires como una peonza y, tras dar diez o doce vueltas, el gigante se pegó un gran batacazo contra el suelo.

—Bueno —gruñó el gigante—, hoy has ganado tú, pero mañana no tendrás tanta suerte. Me esconderé en un sitio donde no me podrás encontrar.

Fidel volvió junto al caballo, le contó lo que había pasado y le preguntó:

—¿Qué vamos a hacer ahora? Seguro que mañana el gigante buscará un escondite imposible de descubrir.

—Te he dicho mil veces que no debes preocuparte —respondió el caballo—. Ahora lo que importa es llenar la panza.

Así que, lo mismo que las dos noches anteriores, Fidel y el caballo comieron y durmieron a placer.

A la mañana siguiente, Fidel le preguntó al caballo dónde se escondería el gigante aquel día, a lo que el caballo respondió:

—Entra en el palacio y pregúntaselo a la princesa. Pero has de hacerlo por señas, para que el gigante no te oiga.

Fidel entró en el salón del palacio y encontró a la princesa cantando como siempre. Le preguntó por señas dónde estaba el gigante, y ella, sin dejar de cantar, se señaló el anillo que llevaba en el dedo corazón. Fidel se encogió de hombros sin entender nada, pero la princesa siguió gesticulando hasta hacerle comprender que debía quitarle el anillo.

«¿Cómo va a caber un gigante dentro de una joya tan pequeña?», se decía Fidel. Pero, aun así, se acercó a la princesa y le sacó el anillo. Entonces la joven le hizo señas para que lo echara al fuego y, cuando Fidel lanzó el anillo a la hoguera, sonó un horrible alarido:

—¡Ay que me quemo, ay que me quemo!

El gigante saltó desde el interior del anillo y echó a correr como un loco lejos del fuego.

—Está bien, jovenzuelo —rugió al fin—. Me has encontrado las tres veces, pero a partir de mañana serás tú quien se esconda y yo el que te busque.

Fidel aceptó de buena gana, pero, al regresar junto al caballo, se mostró muy preocupado.

—Ahora sí que estoy en un buen aprieto —decía—. No conozco estas tierras, así que ¿cómo voy a encontrar un buen lugar donde ocultarme?

—Yo te diré dónde debes esconderte —respondió el caballo—, pero ahora es momento de comer: mete las manos en mis orejas y saca la manduca.

Así que cenaron con calma y durmieron de un tirón durante toda la noche. Cuando se despertaron, el caballo dijo:

—Arráncame un pelo de la cola y métete en el agujerito que quede al sacarlo.

Fidel pensó que el caballo se había vuelto loco. «¡Pero si un hombre es cien veces mayor que un pelo!», se dijo. Sin embargo, siguió las instrucciones del caballo y consiguió lo imposible: se coló casi sin darse cuenta por aquel agujerito estrecho como un alfiler, donde estuvo escondido todo el día. El gigante revolvió cielo y tierra durante muchas horas hasta que cayó la noche, pero no logró dar con Fidel, y estuvo a punto de volverse loco de rabia. Por fin, cuando aparecieron las primeras estrellas, Fidel abandonó su escondite, y el gigante le dijo:

—Hoy te has salido con la tuya, pero mañana no tendrás tanta suerte.

Aquella noche, Fidel le preguntó al caballo:

—¿Dónde me esconderé mañana?

El caballo respondió que lo importante era comer y dormir, y así lo hicieron. Y, cuando volvió a salir el sol, le dijo a Fidel:

—Saca un clavo de mi herradura, métete en el agujero que quede y luego vuélvelo a tapar aguantando el clavo con las manos.

Fidel siguió las instrucciones del caballo y se pasó todo el día dentro de la herradura, mientras el gigante iba y venía rugiendo sin parar.

Al anochecer, el gigante regresó a su casa y Fidel salió del agujero, se dirigió a las puertas del palacio y gritó con todas sus fuerzas:

—¡No me has encontrado!

—No —respondió el gigante—, pero mañana te encontraré, te arrancaré la piel a tiras, te asaré y te comeré.

Fidel le preguntó entonces al caballo:

—¿Dónde me esconderé mañana?

Y el caballo contestó:

—Cada cosa a su tiempo. Saca la comida y démonos un buen festín. Mañana hablaremos de eso.

Por la mañana los dos se despertaron temprano y bien descansados, y el caballo dijo:

—Saca uno de mis dientes, métete en el agujero que quede en la encía y luego vuelve a poner el diente en su lugar.

Fidel obedeció, y quedó tan bien escondido que el gigante no logró encontrarlo en todo el día. Y eso que lo buscó con tanta insistencia que le faltó muy poco para volverse loco de remate.

Aquella noche, Fidel abandonó su escondite y corrió en busca de la princesa.

La muchacha había dejado de cantar y dijo loca de alegría:

—¡Has roto el hechizo, Fidel! El gigante me dijo que si alguien lograba vencerle seis veces, recobraría mi libertad al instante.

—Pues lo hemos conseguido —dijo Fidel—, y ahora te sacaré de aquí y me casaré contigo.

—Escúchame, Fidel, yo te estoy agradecida de todo corazón, pero no debes olvidar que, como soy una princesa, sólo podré casarme con un príncipe.

—Has encontrado al hombre adecuado —replicó Fidel—, porque yo también soy hijo de un rey.

Entonces Fidel se acercó al caballo, le acarició sus rubias crines y le dijo:

—¿Te importaría acompañarnos hasta el palacio de mi padre? Allí no te faltará la comida.

—Será todo un placer —respondió el caballo—. A fin de cuentas, aquí ya no pinto nada.

Así que Fidel y la princesa montaron en el caballo, entraron cabalgando en el túnel y llegaron hasta el palacio del rey. Y cuando Fidel le explicó a su padre todo lo que le había sucedido, el rey le dijo con gran alegría:

—Hijo mío, has cumplido de maravilla la misión que te encomendé, así que de hoy en adelante la mitad de mi reino será tuyo.

Fidel y la princesa se casaron aquel mismo día. Ella cantó algunas canciones con su voz celestial, y el rey quedó fascinado al oírla. Los tres ancianos del túnel acudieron a la boda, y bebieron, cantaron y bailaron hasta caer rendidos.

En cambio, los dos hermanos de Fidel no volvieron a pisar el reino de su padre, pues el rey decidió desterrarlos por haber abandonado al pobre Fidel a su suerte. Y todo esto lo sé porque yo también estuve en la boda, donde me regalaron un par de botas de papel y unos calcetines de pan tierno y un sombrero de nata que me sienta a las mil maravillas.

Y, si no te lo crees, peor para ti.

actividades

El príncipe y el gigante

Comprensión

1 En un reino lejano, un día empezó a sonar una música celestial. ¿Qué le promete el rey al príncipe que consiga averiguar de donde procede la música?

2 ¿Qué le dicen Samuel y Manuel a su hermano pequeño para que baje por el agujero profundo?

3 ¿A cuántos personajes encuentra Fidel en el túnel? ¿Qué relación tienen entre ellos?

4 ¿Cómo consigue Fidel llegar al palacio del gigante?

5 Fidel averigua que la música celestial proviene de una princesa que canta sin parar. ¿Por qué motivo canta la princesa?

6 Cuando el gigante descubre a Fidel junto a la princesa, se enfada mucho y le propone un terrible juego al príncipe. ¿En qué consiste ese juego?

7 ¿De dónde saca Fidel la comida durante los seis días que dura el juego con el gigante?

8 Fidel encuentra al gigante en los tres sitios en que se esconde, pero el gigante no consigue descubrir nunca dónde se oculta Fidel. ¿Quién ayuda al príncipe a esconderse y a encontrar al gigante?

9 ¿En qué lugares se esconden respectivamente el príncipe Fidel y el gigante?

10 ¿Por qué deja de cantar la princesa? ¿Qué consigue Fidel al final del cuento?

Personajes

1 En muchos cuentos, el protagonista sale en busca de algo que desea (un tesoro, un anillo mágico, la mano de una princesa...) y por el camino encuentra a unos personajes que le ayudan y a otros que le ponen dificultades.
Haz una lista de los **personajes que ayudan a Fidel** y otra de los que **le ponen dificultades**.

2 ¿Cómo se comportan con Fidel **los tres viejos** que el príncipe encuentra en el túnel? ¿Por qué podemos decir que estos personajes son divertidos?

3 Hay un personaje del cuento sin cuya ayuda el príncipe no hubiera conseguido vencer al gigante y rescatar a la princesa. ¿Quién es ese personaje? ¿Te parece que es fantástico o mágico? ¿Por qué?

4 Para conseguir lo que se propone, el héroe de los cuentos debe poseer muchas **virtudes**, como le ocurre a Fidel. Por ejemplo, cuando este príncipe acepta los consejos del caballo o de los tres viejos, se muestra **confiado** y **paciente**. ¿Qué cualidad demuestra Fidel cuando acepta bajar al pozo profundo o cuando se enfrenta al gigante? ¿Y cuando no abandona su empeño de salvar a la princesa, a pesar de las dificultades que encuentra?

5 En los cuentos ocurre a menudo que el personaje más pequeño vence al más grande o poderoso, como en la historia bíblica de David y Goliat o en el cuento de *Pulgarcito*. ¿Quién es el más pequeño de los tres hermanos de «El príncipe y el gigante»?

¿Cómo es el personaje al que tiene que enfrentarse? ¿Te gusta que sea Fidel quien venza? ¿Por qué?

6 ¿Qué consigue al final el príncipe, como **premio** a su comportamiento y a sus virtudes?

7 **Samuel** y **Manuel** son hermanos de Fidel pero no lo quieren mucho. ¿Por qué desean que Fidel baje por el pozo profundo? ¿Cómo los castiga el rey por su mala acción?

8 El mayor enemigo del príncipe es **el gigante**. ¿Por qué es este personaje tan malvado? (p. 20) Si fuera del tamaño de un hombre, ¿te impresionaría igual? Cuando Fidel descubre dónde se esconde las dos últimas veces, ¿qué le sucede al gigante?

Comentario y creación

1 En los cuentos a menudo ocurren **sucesos fantásticos** o aparecen **personajes maravillosos**. ¿Cuáles son los personajes maravillosos de este cuento? Haz una lista de los sucesos fantásticos de «El príncipe y el gigante» y di cuáles te han sorprendido más y por qué.

2 ¿Qué regalos recibe el narrador del cuento cuando va a la boda del príncipe? (pág 41) Di qué dos regalos le harías tú al príncipe, pero procura que sean tan originales como los que le entregan al narrador.

3 En este cuento sólo los hijos del rey **reciben un nombre**. ¿Qué nombre o apodo les pondrías a cada uno de los tres viejos, a la princesa, al gigante y al caballo? A este último lo podrías llamar, por ejemplo, Sabelotodo o Despensa.

4 Fidel se esconde en **lugares muy curiosos e imaginativos**. Menciona tres lugares tan imaginativos como esos en los que tú te ocultarías si jugaras al escondite.